Ma première soirée pyjama

Nathalie Charles
Illustrations de Nadine van der Straeten

Ma première soirée pyjama

RAGEOT

ISBN 978-2-7002-3309-4
ISSN 1951-5758

Loi n° 49-956 du 16-07-1949 sur les publications destinées à la jeunesse.

À mes filles, à leurs amies, aux matelas
et aux pyjamas
des soirées pyjamas.

Le grand pyjamatin

J'ouvre les yeux. Dans ma chambre, il fait encore sombre. Pas un bruit dans l'appartement. Qu'est-ce qui m'a réveillée si tôt, un samedi ? Mais oui ! Je me souviens ! C'est le grand jour !

Aujourd'hui, moi, Inès Campiani, j'organise une soirée pyjama. Ma première soirée pyjama. Ce soir, Lou, Jessica et Salma, mes copines préférées, dormiront à la maison.

Quand j'y pense, je me suis super bien débrouillée pour décrocher cette permission.

D'abord, j'ai attendu le bon moment pour aborder le sujet avec papa et maman. Lucas, mon petit frère, était au karaté, Maud, ma grande sœur, à son cours de hip-hop. L'occasion idéale de discuter sérieusement sans être interrompus par l'espion de la famille ou par la reine de la danse.

Ensuite, j'ai préparé une liste d'arguments pour convaincre mes parents. J'ai remarqué que les adultes ne savent pas quoi répondre à un argument valable. Alors ils finissent par dire oui. Mais des arguments, j'en ai eu besoin!

Retour en arrière. Je me revois dans le salon.

– Papa, maman, est-ce que je peux organiser une soirée pyjama?

Papa pose son journal, maman fronce les sourcils.

– Une soirée pyjama ? répète-t-elle comme si elle ne comprenait pas le français.

Pas très encourageant comme réaction !

– Tu sais bien ! Une soirée comme celle de Jessica ou de Lou. Je dois leur rendre l'invitation. Sinon, je vais passer pour une fille impolie.

Et toc, argument numéro un !

– Hum ! Tu veux parler de ces soirées « trop top » ? marmonne papa en dévisageant maman d'un air vaguement inquiet. Celles où vous vous êtes amusées comme des folles jusqu'à une heure du matin ?

– En vous empiffrant de bonbons, de gâteaux et de sodas ? renchérit maman.

– Exactement ! je rétorque.

Papa est très exigeant sur le nombre d'heures de sommeil de ses enfants. L'idée qu'on puisse se coucher à une heure du matin (et s'endormir à deux) doit lui donner des insomnies !

Quant à maman, elle n'a pas l'air de digérer les sucreries à volonté. Normal, elle est diététicienne. Son métier consiste à établir des menus équilibrés pour les gens qui la consultent.

Vite ! Enchaînons !

– Beaucoup de filles de la classe en organisent. Enfin, celles qui ont la chance d'avoir des parents sympas... comme vous, j'ajoute après un silence.

Un compliment par-ci par-là, ça augmente le pouvoir des arguments. Bref regard entre papa et maman.

– Je ne saisis pas très bien l'intérêt de ces soirées, intervient mon père. Vous vous voyez quasiment tous les jours à l'école.

– Mais ça n'a rien à voir ! je proteste. À l'école, on n'a que les récréations pour discuter, mais elles sont courtes et les garçons nous dérangent tout le temps.

Je reprends mon souffle avant de poursuivre :

– Vous aussi, vous avez besoin d'être tranquilles pour vous raconter vos histoires. C'est pour ça que vous allez parfois au restaurant sans nous. Eh bien, avec mes copines, c'est pareil. Sauf que nous, on organise des soirées pyjamas.

Papa lève les yeux au ciel, maman dissimule un sourire.

– Alors, vous êtes d'accord ?

Mes parents établissent un contact télépathique prolongé. Je suis sûre qu'ils veulent éviter de me donner une réponse contradictoire.

– Qui voudrais-tu inviter ? interroge prudemment ma mère.

Chouette ! Si elle pose cette question, c'est qu'elle penche pour le oui.

– Jessica et Lou, que vous connaissez bien. Et Salma. Je vous parle souvent d'elle.

– Quoi ? Quatre filles surexcitées dans l'appartement ! s'étrangle papa. Ça promet ! Monsieur Lorthios ne va pas apprécier !

Zut ! S'il dit cela, c'est qu'il penche pour le non. M. Lorthios est notre voisin du dessous, classé dans la catégorie « voisin super emmachinant ». Il passe son temps à déposer des mots dans notre boîte à lettres pour se plaindre du bruit que nous faisons. Il prétend même qu'il nous entend marcher et que c'est insupportable.

Papa lui répond par de petits messages blagueurs, du genre « Cher monsieur Lorthios, Nous essayons d'apprendre à voler pour vous déranger le moins possible, mais c'est très difficile », ou bien « Cher monsieur Lorthios, Notre rendez-vous pour nous faire couper les pieds a été une fois de plus annulé, nous sommes désolés. »

Mais M. Lorthios n'aime pas les blagues. Du coup, il déteste papa.

– On le préviendra, je rétorque. Et tu dis souvent qu'on ne va pas s'arrêter de vivre à cause de lui ! Alors, je peux ?

M. Lorthios pourrait presque entendre le poum poum de mon cœur, tant il bat fort.

– Nous allons réfléchir, déclare papa. Nous te donnerons notre réponse demain.

Pyjamode d'emploi

Dans mon lit, je rigole toute seule à ces souvenirs. Ils ont dit oui ! Je savais bien que mes parents appartenaient à la catégorie « parents super sympas ». Soudain, j'ai un pincement au cœur. Et si ma soirée pyjama n'était pas réussie ?

Vite, j'allume ma lampe de chevet et je me lève pour prendre mon carnet secret. C'est là que j'ai écrit la liste des règles à respecter, pour être sûre de ne rien oublier.

Règle d'or numéro un : dans une soirée pyjama, on se met en pyjama quand les invitées sont arrivées. Le choix du pyjama est très important. Pas question de mettre un vieux machin délavé ou informe.

Règle d'or numéro deux : pendant une soirée pyjama, on mange des chips, des pizzas, des bonbons à volonté, des glaces, du pop-corn. Et on boit des sodas et des jus de fruits. À ma grande surprise, maman a accepté que cette règle fasse exception à ses règles à elle.

Règle d'or numéro trois : s'arranger pour que tous les frères et sœurs débarrassent le plancher.

Avec Lucas, ça n'a pas été facile. Dès qu'il a su que j'invitais trois copines à la maison, il a sauté de joie.

– Génial ! Moi aussi, je pourrai me coucher tard ! On va super bien s'amuser !

Comment ça, « on » ? Nous, des presque-bientôt-adolescentes de dix ans, jouer avec un presque-encore-bébé de six ans et demi ? Pas question !

Maman a sauvé la situation.

– Tu risques de t'ennuyer, Lucas ! Inès et ses camarades vont se raconter leurs petites histoires et je ne pense pas qu'elles joueront à tes jeux de garçons. J'ai discuté avec la maman de Thomas. Elle est d'accord pour que tu ailles chez eux. Tu pourras même dormir là-bas !

– Youpi !

Par contre, ma sœur a pris les devants.

– Justement, moi aussi, je suis invitée, a-t-elle annoncé. Chez Juliette, pour le week-end. On a une tonne de contrôles à réviser et un méga-exposé à préparer en français.

Oh, cet air supérieur ! Depuis qu'elle est en quatrième, ma sœur se prend pour la reine du monde. Mais tant mieux si elle s'en va tout le week-end chez sa meilleure amie. On sera tranquilles.

Règle d'or numéro quatre : une soirée pyjama est une soirée exclusivement entre filles. Là, c'est papa qui a posé problème.

– Ta soirée pyjama nous donnera l'occasion de mieux connaître tes amies, a-t-il déclaré, l'air satisfait.

– Parce que tu seras là ? j'ai lancé, consternée.

– Bien sûr ! Ce sera intéressant de discuter avec elles !

J'ai aussitôt imaginé papa bombardant mes copines de questions sur l'école, leurs goûts, leur futur métier... Insupportable !

– Après le dîner, je vous organiserai une grande chasse au trésor, a-t-il annoncé, radieux. Je suis en train de réfléchir aux indices. Vous allez adorer !

J'ai avalé péniblement ma salive.

– Mais papa, ça va être la honte ! Les chasses au trésor, c'est bon pour les anniversaires de petits, pas pour les soirées pyjamas.

– Vraiment ? a-t-il répliqué, vexé. Vous ne jouez donc pas pendant les soirées pyjamas ?

– Si, mais entre nous !

– Entre filles, a précisé Maud. Une soirée pyjama, c'est une soirée de filles, papa.

Ouf ! Merci ! Pour une fois que ma sœur vole à mon secours !

– Je ne vais tout de même pas m'en aller sous prétexte que je suis un garçon ! a protesté papa, ahuri.

– Ben…

– Tu me vois abandonner votre mère à la maison, avec quatre filles sur les bras ? Ce ne serait pas gentil ! Ce serait même lâche !

Papa ne fait rien comme les autres pères. Ceux de Jessica et de Lou n'assistaient pas à la soirée pyjama de leur fille ! Le mien, si…

Maman est intervenue :

– Tu sais, mon chéri, les filles joueront ensemble, je n'aurai rien à faire. Pourquoi ne pas organiser un dîner avec tes copains du club théâtre ?

Papa a soupiré, puis a dit en souriant :

– D'accord ! Puisqu'on me met à la porte de chez moi, j'irai au restaurant avec Bruno et Yves !

Je me suis précipitée dans ses bras.

– Papa ! Je t'adore ! Tu es génial !

Je referme mon carnet secret et je m'étire, satisfaite. Toutes les règles seront respectées. Je suis prête ! Ma soirée pyjama peut commencer !

Pyjamalchances

Déjà neuf heures ? Je bondis de mon lit. Mes invitées arrivent pour le goûter, dans sept heures exactement. C'est bien joli de rêvasser, mais j'ai encore une foule de choses à régler, moi ! Ranger ma chambre, installer les décorations, choisir mon pyjama.

– Maman !

La voix de Lucas traverse la cloison. Qu'est-ce qu'il a à pleurnicher ? Il s'est sûrement coincé un doigt en démontant un de ses robots géants.

– J'ai mal dans l'oreille ! gémit-il.

Je me glisse jusqu'à son territoire. Recroquevillé dans son lit, tout blanc dans son pyjama de Spider-Man, il n'a pas l'air en forme. Maman est penchée au-dessus de lui et elle le réconforte.

– Ne t'inquiète pas, je vais appeler le médecin.

Celui-ci arrive une demi-heure plus tard.

– Belle otite ! déclare-t-il après avoir examiné mon frère. Je vais te prescrire des médicaments qui te soulageront rapidement. Dans deux jours, tu seras rétabli. En attendant, repose-toi et reste au chaud.

– Je préfère que tu n'ailles pas chez Thomas ce soir, murmure maman. Je vais téléphoner à sa mère.

– J'annule la soirée avec Bruno et Yves, décrète papa. Avec un malade, on ne sera pas trop de deux à la maison.

Je me fige dans le couloir. Quoi ? À cause d'une simple otite, mon frère et mon père resteront chez nous pendant ma soirée de filles ? Deux règles d'or pulvérisées d'un seul coup ?

Anéantie, je retourne me coucher et je remonte ma couette jusqu'aux oreilles. Au bout d'un moment, j'entends la voix de maman.

– Inès ? Tu es encore au lit ? Tu as pourtant beaucoup de choses à préparer avant l'arrivée de tes invitées !

– Ce n'est plus la peine ! je bougonne, roulée en boule. Une soirée pyjama avec Lucas et papa, ce n'est plus une vraie soirée pyjama. Mes copines vont trouver ça nul !

Maman s'assoit sur mon lit et me secoue doucement.

– Tu ne peux pas les décommander à la dernière minute ! Nous allons arranger ça.

Je sors la tête de la couette.

– Tu crois ?

– Bien sûr !

Dix minutes plus tard, j'ai repris espoir. Maman a promis que Lucas ne nous embêterait pas et qu'elle s'occuperait de lui. Et j'ai fait jurer à papa de ne pas trop poser de questions à mes amies et de ne pas organiser de chasse au trésor.

C'est terrible, les changements de dernière minute ! Je reprends ma liste pour la corriger.

Règle d'or numéro trois : S'arranger pour que tous les frères et sœurs débarrassent le plancher. **En cas d'impossibilité, ils devront rester dans leur chambre.**

Règle d'or numéro quatre : Une soirée pyjama est une soirée exclusivement entre filles. **Mais si on ne peut pas faire autrement, les pères sont tolérés, à condition qu'ils restent discrets.**

Je consacre le reste de la matinée à ranger ma chambre. Moi qui déteste ça d'habitude, je passe l'aspirateur dans les moindres recoins.

– Ça n'a jamais été aussi impeccable ! me félicite maman. Dommage qu'il faille tout recommencer demain.

Nous revoyons ensemble les détails de la soirée. Elle semble un peu nerveuse. Peut-être qu'elle a peur de ne pas être à la hauteur ? Les mamans aiment bien que les copines de leur fille les trouvent sympas.

– Nous installerons les lits à la dernière minute, suggère-t-elle. Sinon, vous n'aurez pas assez de place pour jouer.

Elle a raison. Ma chambre est grande, mais avec un matelas et deux lits de camp en plus, elle sera très encombrée. Mes copines apportent leur sac de couchage, sauf Salma, à qui je prêterai le mien. Ce soir, elle campera pour la première fois de sa vie !

Je jette un dernier coup d'œil autour de moi. Tout est parfait. Ah, non ! J'ai oublié Clara, la poupée doudou en tissu avec laquelle je dors depuis que j'ai un an. Maman a rapiécé plusieurs fois son corps et, pour masquer sa tête à moitié chauve, elle lui a confectionné un fichu.

Pas question qu'elle périsse dans une bataille de peluches. Je me sentirais responsable pour toujours. Et puis j'ai un peu peur que mes copines se moquent de moi. Je range donc Clara avec précaution au fond de mon armoire, à l'abri des regards. On a le droit de ne pas confier tous ses petits secrets à ses meilleures copines !

La voix de ma sœur retentit dans le vestibule :

– Bon, j'y vais ! À demain, tout le monde.

Je me précipite hors de ma chambre.

– Tu pars déjà ? Tu avais promis de m'aider à décorer ma chambre !

– Désolée, Juliette m'attend, réplique Maud en se regardant une dernière fois de haut en bas dans la glace. On a beaucoup de travail.

Du travail ? Ça m'étonnerait ! Je suis certaine qu'elles vont écouter de la musique et parler des garçons la plus grande partie du week-end.

– De toute manière, des décos pour une soirée pyjama, ça fait bébé, ajoute-t-elle avec une grimace. Ah ! J'oubliais ! Interdiction absolue de mettre un pied dans ma chambre pendant mon absence. D'ailleurs, j'ai chargé Lucas de vous surveiller. Maman sera trop occupée…

Non mais pour qui elle se prend ?

– Tu crois que Lucas va surveiller ta chambre du fond de son lit ? je rétorque, furieuse.

Maud esquisse un sourire.

– Une otite ne rend pas si malade ! J'ai promis de jouer avec lui tous les soirs de la semaine prochaine s'il remplissait sa mission. En plus, il adore espionner…

Je bouillonne de rage. Mais pas question que ma sœur s'en aperçoive, elle serait trop contente. Je mets un grand couvercle sur ma colère.

– Et qu'est-ce qu'on irait faire dans ta chambre ? je lance d'un air innocent.

– Fouiner, quelle question !

– Ce n'est pas du tout notre genre ! je rétorque, vexée.

D'autant plus vexée que ma sœur possède des dizaines de secrets passionnants que j'espérais montrer à mes copines : un journal intime, des lettres, des photos... Pour une fois qu'elle nous laissait le champ libre ! Pas de chance que cet espion de Lucas reste à la maison !

– Dans ce cas, excuse-moi. Amuse-toi bien avec tes copines !

Je crois que c'est la perspective de passer le week-end chez Juliette qui la rend soudain plus gentille.

– Bon courage pour vos devoirs ! je réponds d'une voix d'ange.

Moi, c'est une idée subite qui me rend aussi aimable. Nous irons dans la chambre de Maud quand l'espion se sera endormi. Il paraît que les otites, ça fatigue beaucoup !

Youpijama !

– Papa ! La pendule est en panne. Les aiguilles n'ont pas bougé depuis tout à l'heure.

Mon père éclate de rire.

– La pendule fonctionne parfaitement, Inès ! Seulement, la dernière fois que tu es venue voir l'heure, c'était il y a moins d'une minute.

Moins d'une minute ? Ça alors ! Plus on est impatient, plus le temps passe lentement.

Par contre, si on est plongé dans un jeu merveilleux, pfuit ! Il passe trop vite. Je tourne en rond dans le salon. Ma chambre est prête, mon pyjama est prêt, je suis prête, tout est archiprêt... Je finis par m'asseoir dans un fauteuil, comme si j'étais dans la salle d'attente du médecin.

– Quinze heures cinquante-cinq !

Je sursaute.

Lucas, toujours en pyjama, vient de débarquer. Il se poste près de la fenêtre, les yeux rivés sur la montre que papy lui a offerte pour son anniversaire.

– Quinze heures cinquante-six !

– Tais-toi ! je crie, les nerfs en pelote. Je n'ai pas besoin d'horloge parlante.

Soudain, la sonnerie de l'interphone m'arrache un cri de joie. Je cours pour décrocher, mais Lucas m'a devancée.

– C'est Salma ! claironne-t-il avant de disparaître au fond de l'appartement.

Je me précipite sur le seuil. À la différence de Jessica et de Lou, Salma n'est encore jamais venue à la maison. J'espère qu'elle ne sera pas trop intimidée !

La porte de notre minuscule ascenseur s'ouvre. Nawel, une de ses grandes sœurs, l'accompagne. Maman, qui m'a rejointe sur le palier, les invite à entrer.

– Salut Inès ! J'ai apporté des gâteaux marocains pour le goûter, dit Salma.

– Merci ! Ça a l'air délicieux.

Pendant que maman échange quelques mots avec Nawel, j'entraîne Salma dans le couloir.

– Viens poser tes affaires. Je vais te montrer Vanille et Chocolat !

Depuis le temps que je lui parle de ma souris blanche et de ma souris noire ! Salma n'a jamais vu de souris pour de vrai.

Soudain, Lucas jaillit devant nous, affublé d'un casque de soldat. Par-dessus son pyjama de Spider-Man, il a enfilé sa cape de Superman. Dans la main gauche, il tient un bouclier et, de la main droite, il brandit une épée.

– Défense d'entrer chez moi ! s'écrie-t-il.

– Et surtout, défense pour toi d'en sortir ! je réplique.

Je me tourne vers Salma.

– C'est mon frère, Lucas. Il adore se rendre intéressant ! Il aurait dû passer la nuit chez un copain, mais il a une otite et maman préfère le garder à la maison. Pourtant, il a l'air en super forme ! j'ajoute en haussant les épaules.

– Normal ! Je suis un super héros ! répond-il.

Mon amie lui décoche un grand sourire.

– Il est rigolo ! dit-elle en me suivant.

Je lui jette un regard étonné. Comment peut-elle trouver mon frère rigolo ?

Salma déclare que ma chambre est super belle. Je lui présente mes deux merveilles, classées dans la catégorie « souris les plus craquantes du quartier ». Elle s'agenouille devant leur cage.

– Qu'est-ce qu'elles sont mignonnes !

Je soulève la grille et je sors Vanille avec précaution.

– Tu veux la prendre ?

– Euh…

– N'aie pas peur.

Salma tend la main pour recueillir Vanille, qui tente aussitôt de s'échapper.

– Méfie-toi ! Si elle se sauve, on risque de ne pas la retrouver. C'est arrivé une fois. Il nous a fallu toute une journée pour dénicher Chocolat derrière la machine à laver. J'ai eu la peur de ma vie !

Soudain, la voix de maman retentit dans le couloir.

– Inès ? Tes deux autres invitées arrivent.

Ça alors ! Je n'ai même pas entendu l'interphone. Le temps de courir sur le palier, Jessica et Lou jaillissent de l'ascenseur, hilares.

– Vous êtes venues toutes seules ? s'étonne maman.

– Non ! répond Jessica. Papa nous a accompagnées jusqu'en bas de l'immeuble. Mais il n'a pas voulu monter, il avait sa contrebasse.

Le père de Jessica est musicien professionnel. Il est aussi très timide. C'est peut-être pour cela qu'il a choisi la contrebasse comme instrument. Il peut se cacher derrière pendant les concerts !

– Ton voisin grincheux nous a tenu compagnie dans l'ascenseur, ajoute Lou. Comment il s'appelle déjà ? Monsieur Lortie ?

– Lorthios, je rectifie.

– Il a fait une de ces têtes en nous voyant ! commente Jessica.

Elle aspire ses joues et fronce les sourcils pour imiter M. Lorthios. Très réussi ! Nous éclatons de rire.

La sœur de Salma nous souhaite une bonne soirée et s'en va. Nous regagnons l'appartement. Par quoi commencer ? Nous nous sentons un peu embarrassées.

– Installez-vous dans la chambre d'Inès, les filles. Ne vous occupez pas de moi, dit maman. Je ne vous dérangerai pas.

À ce moment précis, mon père surgit de son bureau.

– Bonjour tout le monde ! lance-t-il, très à l'aise. Alors, c'est le grand jour ?

Mes copines se figent et bafouillent un « bonjour » inaudible. J'abrège les présentations et je les entraîne toutes les trois dans ma chambre.

– Papa ne devait pas être là, je chuchote, assez embarrassée, mais nous avons eu un imprévu.

– Ah ! Il partira plus tard ? questionne Lou.

– Ben... En fait, il va rester.

La porte s'entrebâille tout doucement. La tête casquée de Lucas apparaît.

– Salut !

– Je t'avais demandé de rester dans ta chambre ! je proteste, agacée.

Jessica et Lou se regardent, interloquées. Salma prend un air amusé.

– Ton petit frère aussi est là ? balbutie Lou, les yeux écarquillés.

– C'est lui, l'imprévu, je marmonne. Il est malade. Mais maman a promis qu'il ne nous embêterait pas.

– Tu crois ? lance Jessica, d'un air peu convaincu.

Je suis son regard. Lucas s'est assis en tailleur au milieu de ma chambre et a étalé un jeu de cartes. Un grand sourire éclaire son visage.

– Alors, à quoi on joue ? demande-t-il en nous dévisageant. Une partie d'Attrape Totem, ça vous va ?

Le pyjamouchard

Maman intervient au bon moment en nous apportant un immense plateau de gâteaux, de bonbons et de jus de fruits. Surtout, elle entraîne Lucas dans sa chambre pour jouer avec lui. Enfin seules ! Jessica ouvre son sac et commence à le vider. Un miaulement en sort.

– Qu'est-ce que c'est ? demande Salma, intriguée.

– Mon pyjamiaou !

Jessica déplie en riant un pyjama en velours bleu. Sur la veste est cousu un chaton gris en fausse fourrure qui miaule quand on appuie dessus.

– J'en veux un pareil ! s'exclame Lou. Où tu l'as eu ?

– Ma mère l'a déniché dans une boutique, près de son travail.

– Ça ne te réveille pas la nuit ? je demande.

– Je ne sais pas. C'est la première fois que je le mets ! Vous me raconterez demain matin !

À son tour, Salma sort son pyjama : pantalon blanc bouffant et tunique assortie, brodée de petites fleurs.

– C'est mon pyjaMarrakech, déclare-t-elle. Il vient du Maroc !

– Et le mien, des États-Unis ! s'écrie Lou. Ma mère l'a rapporté de PyjaMiami.

Elle brandit un pyjama rose pâle, sur lequel s'étale l'inscription « Girly night » en lettres argentées.

– Ça veut dire « nuit de filles », explique-t-elle. Tu nous montres le tien, Inès ?

Je tire de dessous mon oreiller le « pyjhumour » que maman a acheté sur Internet. Il est rouge. Sur la poitrine, un grand œil baisse sa paupière bordée de cils noirs. Dans le dos, le même œil, cette fois ouvert, braque son iris bleu ciel sur les gens. Sous chaque dessin, on peut lire : « Je ne dors que d'un œil. »

– Trop délire ! décrète Jessica.

Lou tire une boîte de son sac.

– Vous voulez faire une partie de Veritas ?

– Le fameux jeu où il faut répondre à des questions personnelles en disant la vérité ? demande Salma.

Lou acquiesce. Ça ne m'étonne pas qu'elle aime ce jeu. Elle adore les potins. À l'école, elle apporte souvent des magazines qui parlent des stars et de leur vie privée.

– Où est l'intérêt ? ricane Jessica. C'est très facile de tricher !

– On voit quand quelqu'un ment, affirme Lou. Il devient tout rouge, il a les mains qui tremblent, il bafouille. Alors, on essaie ?

D'un côté, j'en ai très envie, de l'autre, j'ai peur des questions indiscrètes. Mais je finis par accepter.

– D'accord ! On se mettra en pyjama après.

Lou lance les dés la première pour nous expliquer la règle du jeu. Neuf. Son pion tombe sur une case Famille. Elle pioche une carte dans la pile de questions correspondantes et lit :

– *Ton frère ou ta sœur a-t-il un amoureux ?*

Tiens, c'est amusant ! Moi, j'aurais répondu « Oui, Martial ». Il est dans la classe de Maud. Elle nous en parle sans arrêt. Mais Lou n'a ni frère ni sœur. Elle n'a donc aucune confidence intéressante à nous livrer. Déçue, Jessica proteste que ce n'est pas de jeu et jette les dés. Onze. Elle tire une carte École.

– *As-tu déjà triché à un contrôle ?*

– Jamais ! s'empresse-t-elle d'affirmer, l'air dégagé.

– Tu es sûre ? insiste Lou. Bien sûre ?

Les joues de Jessica rosissent.

– Puisque je vous le dis…

Lou rigole.

– Rappelle-toi, au début de l'année… Tu as regardé dans ton cahier pour avoir les réponses au contrôle sur les solides.

– Ça n'a rien à voir ! se défend Jessica. Je ne savais pas que c'était un contrôle !

Nous échangeons un clin d'œil amusé. Là, elle exagère !

– C'est la vérité ! poursuit-elle, de plus en plus énervée. Je pensais que c'était juste un exercice. Et je vous signale que monsieur Raffali nous permet de consulter nos cahiers pour les exercices.

– Alors tu reconnais que tu ne savais pas ta leçon, insiste Lou.

– Évidemment ! explose Jessica, dont les joues ont viré au rouge. Je ne risquais pas de l'apprendre, vu que j'ignorais qu'il y avait contrôle.

– Si Jessica a triché sans le savoir, ce n'est pas vraiment de la triche, tempère Salma.

– Et toc ! déclare Jessica d'un air pincé. À toi Salma.

Quatre. Salma tombe sur la case Muet comme une tombe. C'est un joker qui lui évite de tirer une question. Elle paraît soulagée. À moi ! Sept. J'arrive sur la case Amitié et je découvre ma carte.

– *As-tu un AMI garçon ?*

Toutes les trois me dévisagent avec intérêt.

– Ami, c'est plus que copain, précise Lou en gloussant. D'ailleurs, le mot est écrit en majuscules. Réfléchis bien !

C'est vite réfléchi. Les garçons de l'école appartiennent à la catégorie « Pas passionnants du tout », à part Antoine et Tennessee qui sont sympas. Mais de là à parler d'amis en majuscules !

– Non, je réponds sans hésiter.

Une petite voix susurre alors dans mon dos :

– C'est même pas vrai ! Tu mens !

Je me retourne brusquement. Lucas ? Mais comment a-t-il réussi à entrer dans ma chambre sans qu'on s'en aperçoive ?

– Encore toi ? Tu es là depuis longtemps, sale espion ? je m'écrie, très en colère. Je vais raconter aux parents que tu nous embêtes.

Mais il poursuit, très fier de lui :

– Inès a même deux amis garçons !

– Quelle cachottière ! s'exclame Jessica, heureuse de prendre une revanche sur son histoire de tricherie.

– On les connaît ? demande Lou, tout excitée.

– Dis-nous qui c'est, Inès ! supplie Salma.

Je les regarde sans savoir quoi répondre.

– Ils s'appellent Steven et Roméric, continue mon frère en jubilant. Ils viennent souvent à la maison. Steven a dix ans et Roméric quinze.

Des cris stupéfaits fusent.

– Ce ne sont pas des garçons mais des voisins, je proteste. Euh... je veux dire que ce sont des voisins, pas des amis ! Vous finissez par m'embrouiller !

Lou a du mal à cacher sa déception.
– Ah ! Des voisins… c'est différent. Mais tu les vois souvent ?
– Parfois le soir, et souvent le week-end, répond Lucas du tac au tac.
Trop, c'est trop !
– Ça suffit, sors d'ici ! je hurle.
Mon frère se dirige vers la porte en haussant les épaules.

– De toute façon, il est nul, votre jeu ! Comme tous les jeux de filles ! Je préfère la PlayStation, lance-t-il avec dédain.
– Et alors ? La PlayStation n'est pas réservée aux garçons, riposte Jessica. J'adore y jouer moi aussi ! D'ailleurs, je suis très forte.
– Ça m'étonnerait ! rétorque Lucas. Tu connais Super Rallye ?
– Bien sûr !

– On fait une partie ? Je parie que je te bats.

Jessica, piquée au vif, se lève aussitôt pour le suivre au salon. Lou et Salma filent derrière eux, les yeux brillants de curiosité.

Inimaginable ! En cinq minutes, mon petit frère a réussi à me piquer toutes mes copines ! Ce n'est pas parce qu'il est en pyjama qu'il doit s'imaginer que c'est SA soirée pyjama !

À mon tour, je me précipite au salon. J'ai deux mots à lui dire.

Pyjamajestés

– Vas-y ! Double ! Génial ! Tu vas gagner !

Entassées sur le canapé, nous hurlons, les yeux collés à l'écran de la télévision. Jessica vient de remporter une partie contre Lucas. Bien fait pour lui ! Maintenant, elle entame une manche avec Salma qui, agrippée aux manettes, écoute les conseils techniques de mon petit frère, assis sur le tapis.

– Attention au pilier ! Accélère ! Plus vite, braque ! Oh ! Dommage ! Enfin, c'est pas mal pour une débutante, l'encourage-t-il.

– Merci ! lance Salma, les joues roses de plaisir. Ce jeu est super... Je vais en commander un pour Noël !

Jessica renchérit :

– Les parties avec papa durent des heures ! Ça rend maman furieuse.

Lou se met à bâiller.

– Je la comprends. C'est ennuyeux de toujours jouer à la PlayStation... Et si on se mettait en pyjama ?

Sa remarque me ramène à la réalité. On n'a rien à faire au salon ! Vite, dans ma chambre !

Mais le couloir est encombré. Maman, juchée sur un tabouret, est en train de sortir des oreillers et des couvertures du grand placard.

– Vous tombez bien, les filles ! Attrapez ! C'est pour vous.

Pendant qu'elle nous les passe, Lou se baisse et désigne du doigt une malle en osier derrière l'aspirateur.

– Qu'est-ce qu'il y a là-dedans ?

– Des costumes de théâtre, que papa a trouvés dans une brocante. Maman, on peut se déguiser avec ?

Elle hausse les épaules.

– Ils seront trop grands pour vous !

– On se débrouillera ! S'il te plaît !

– D'accord !

Nous tirons la malle du placard et nous la transportons dans ma chambre. Je soulève le couvercle au milieu de cris de joie.

– Génial ! s'émerveille Lou en saisissant à pleines mains une longue robe verte garnie de dentelles. Je peux l'essayer ?

– Bien sûr !

– Tu as trop de chance ! soupire Salma en sortant perruques et faux bijoux.

C'est vrai ! Papa fait du théâtre en amateur. Il a acheté ce lot de costumes pour son club, mais en attendant, c'est moi qui en profite !

Nous nous dépêchons d'enfiler nos nouvelles tenues par-dessus nos tee-shirts et nos jeans. Lou entortille trois colliers autour de son cou et remonte sa robe pour ne pas marcher dessus. J'aide Salma, qui a un chapeau de plumes sur la tête, à maintenir sa longue jupe de satin avec un foulard. Jessica, plantée devant la glace, dissimule ses mèches de cheveux sous une perruque blonde et bouclée.

– Votre Majesté, vous êtes la plus belle des beautés magnifiques, je déclare en esquissant une révérence.

– Merci, Votre Altesse, répond Jessica d'une voix distinguée.

– Oui ! Oui ! On va jouer aux reines de l'ancien temps ! s'écrie Salma.

Soudain, on frappe à la porte. J'ouvre. Lucas nous regarde, une expression de chien battu sur le visage.

– Je m'ennuie... Maman est au téléphone et papa finit un travail dans son bureau. Personne ne veut s'occuper de moi ! Je peux venir avec vous ?

Quel pot de colle ! Je suis sûre qu'il joue la comédie pour nous attendrir.

– Pas question ! Fiche-nous la paix ! je rétorque.

– Tu es un peu dure avec lui, intervient Salma.

– On voit que tu ne le connais pas ! Si nous acceptons, il voudra commander.

– C'est même pas vrai ! pleurniche mon

frère. Et puis, j'ai joué avec vous, moi. Je vous ai prêté ma PlayStation.

– Il a raison, concède Jessica.

– D'accord, je soupire. Mais cinq minutes seulement. Tu seras notre serviteur.

– Ah non ! Serviteur, c'est nul ! Je veux un rôle plus important ! Quelque chose comme chevalier ou prince...

Qu'est-ce que je disais...

– Y a pas de chevaliers dans notre histoire, rétorque Lou. Pas de prince non plus. C'est une histoire de reines !

– Si tu veux jouer avec nous, il n'y a qu'une solution, je déclare, le sourire aux lèvres.

– Laquelle ?

– Que tu te déguises en fille !

– En fille ? Beurk !

Mon frère esquisse une mimique dégoûtée.

– Attendez ! Et s'il était le grand gardien du royaume ? suggère Salma. Il nous protégerait en cas de danger...

Lucas, emballé, se met aussitôt à mimer un combat de karaté.

– Avec mon kimono, ce sera encore mieux ! lance-t-il en se précipitant hors de ma chambre.

Pyjeuxma

– Ouf ! Merci, Salma ! Tu es très douée pour te débarrasser des petits frères encombrants.

– Il est super mimi ! J'aimerais bien en avoir un ! Ça me changerait de mes sœurs.

– Je te le prête si tu veux ! Je l'aime beaucoup, mais c'est un vrai crampon.

– Et je t'échange les deux miens contre tes sœurs, plaisante Jessica. J'aimerais savoir quel effet ça fait !

– Méfie-toi, j'en ai quatre ! prévient Salma. Deux grandes et deux petites. Je suis pile au milieu.

– Comme moi, je déclare. C'est nul, le milieu. Mes parents s'occupent tout le temps de Lucas parce qu'il est le plus jeune, Maud a tous les droits sous prétexte qu'elle est plus grande... Et moi ? Rien ! Aucun avantage !

– Arrête de te plaindre, Inès, soupire Lou. Moi, je suis fille unique. Je n'ai personne avec qui jouer ou discuter.

– Justement, profitons-en pour nous amuser maintenant ! intervient Jessica. On est toutes des reines et on se prépare pour le bal de la cour.

On frappe une nouvelle fois à la porte.

– Qu'est-ce qu'il y a encore ? je crie, impatiente.

Lucas, vêtu de sa tenue de karaté, brandit une petite canne à pêche.

– C'est pour vous dire que pendant que je garde le royaume, je fais une partie de pêche à la ligne avec papa dans la salle de bains.

– La pêche à la ligne ? Quand j'étais petite, j'adorais ça ! s'exclame Salma.

– Viens essayer si tu veux ! propose Lucas.

– D'accord ! Juste cinq minutes !

Direction la salle de bains. Dans la baignoire à moitié remplie flottent quatre canards en plastique jaune. Papa, un bandeau sur les yeux pour augmenter la difficulté, agite sa ligne à l'aveuglette. Il est trop rigolo ! Hilares, nous l'encourageons :

– À droite ! Stop ! Raté ! Attention !

Il manque d'éborgner Jessica et il fait tomber trois flacons qui étaient posés sur le rebord de la baignoire.

– Qui veut essayer ? lance-t-il.

– Moi, moi ! trépigne Salma.

Chacune notre tour, nous tentons de pêcher les canards, les yeux bandés. Lucas commence à bouder.

– Ça suffit maintenant ! C'est mon jeu !

Papa approuve :

– Mesdemoiselles, allez donc jouer entre filles maintenant, dit-il en insistant sur le mot « filles ».

Nous remontons nos robes et nous regagnons ma chambre en riant. Ça fait du bien parfois de jouer à des jeux de bébé.

– Où on en était ? demande Lou. Ah oui, le bal !

Elle minaude en agitant un éventail.

– Je suis pressée de découvrir la surprise que vous nous avez préparée, Altesse Inès.

On dirait une vraie reine ! Lou est inscrite à l'atelier théâtre de l'école, elle est douée pour jouer la comédie. Moi, je suis moins à l'aise pour inventer les répliques. Je prends un air distingué et j'improvise :

– Euh... Il y aura un spectacle de jongleurs avec des canards savants.

– Mais non ! Je te demande ça pour de vrai ! s'esclaffe Lou avec sa voix normale. Je te parle de ta surprise. On prépare toujours une surprise pour les soirées pyjamas.

Je la regarde, interloquée. J'ignorais cette règle ! Je ne suis pas une spécialiste comme Lou, moi ! Je n'organise pas de soirées pyjamas depuis l'âge de huit ans ! Une surprise, une surprise... Qu'est-ce que je vais pouvoir trouver ?

Ah si ! Je sais !

J'entrouvre discrètement la porte de ma chambre. Le grand-gardien-pêcheur-karatéka du royaume est toujours dans la salle de bains avec papa.

Je fais signe à mes copines d'approcher et je chuchote :

– Ce soir, nous visiterons la chambre interdite de la reine Maud. Mais pas un mot à Lucas. C'est son espion personnel !

Pizzama surprise

Le bal bat son plein ! Juchée sur mon lit, la reine Jessica saute en rythme sur la musique tandis que Son Altesse Salma reprend des forces en puisant dans un bol rempli de bonbons. J'aide Sa Majesté Lou XIV à appliquer un cinquième tatouage sur son avant-bras droit, car sa femme de chambre est au cachot. Soudain, on frappe trois coups.

– Qui est là ?

– Moi. Papa.

– Entre ! je lance à regret.

Mon père passe la tête par la porte et nous dévisage d'un air ahuri.

– Qu'est-ce que vous faites dans le noir ?

– On n'est pas dans le noir ! explique Jessica. C'est un éclairage intime pour le bal de la cour !

En effet, nous avons fermé les volets et nous n'avons allumé que deux lampes, posées sur le sol.

– Ah ! Je vois ! répond papa en souriant. Mais vous n'êtes pas en pyjama ? Je croyais que c'était obligatoire pour une soirée pyjama.

– C'est une soirée pyjama déguisée, je précise. Nous lançons une nouvelle mode.

Papa hoche la tête.

– Et la mode des pizzas ? Elle existe toujours ou elle a été remplacée par la mode des épinards ?

En chœur, nous nous mettons à scander :

– Les pizzas, les pizzas !

– Bon, je vais les acheter. Qu'est-ce qui vous ferait plaisir ?

– Je voudrais une pizza sans jambon, s'il vous plaît, demande Salma.

– Bien sûr, Votre Altesse ! plaisante papa.

Salma ne mange pas de porc parce que c'est interdit par sa religion. Dans ma famille, nous n'avons pas de religion particulière, mais il faudra que je me renseigne pour savoir s'il en existe une qui interdise de manger les épinards, les brocolis et les choux-fleurs en sauce blanche de la cantine.

Après cinq minutes de discussion animée pour choisir les pizzas, papa récapitule :

– Une reine, une quatre-saisons et une trois fromages. Géantes. Nous sommes d'accord ? Leurs Majestés devraient aller au salon, un apéritif royal les attend !

Nous nous précipitons. Maman a dressé une jolie table. Des bougies disposées çà et là dispensent une lumière douce et chaleureuse. Tomates cerises, saucisses cocktail, biscuits salés et chips de toutes sortes trônent dans des assiettes multicolores. Ma mère est formidable, surtout quand elle oublie son métier de diététicienne !

Nous sommes en train de nous empiffrer de cacahuètes et de crackers quand la porte d'entrée claque.

– Ton père est déjà de retour ? s'étonne maman.

Elle se dirige vers le vestibule.

– Maud ? Qu'est-ce que tu fais là ?

Je manque de m'étrangler avec une

cacahuète. Maud? Maud de chez nous? Maud ma sœur? Je fonce dans l'entrée, Jessica, Lou et Salma sur les talons. Pas d'erreur possible. C'est bien Maud, avec son visage des mauvais jours et son sac.

– Mais tu n'es pas chez Juliette? questionne maman.

Elle doit s'apercevoir que sa question est stupide, car elle se mord les lèvres et reprend aussitôt :

– Il ne s'est rien passé de grave au moins?

Ma sœur se met à hurler :

– Si! On s'est disputées à mort! On s'est dit des choses horribles! Je ne lui adresserai plus jamais la parole! Plus jamais! Notre amitié est terminée!

Et elle fonce dans sa chambre. Avant de claquer la porte, elle se retourne et lance sur un ton tragique :

– Mon week-end est fichu ! Ma vie est fichue !

– C'est ta grande sœur ? chuchote Lou, fascinée.

– Oui ! Quelle poisse ! Nous allons l'avoir sur le dos toute la soirée...

– Zut alors ! murmure Jessica. La visite de sa chambre est fichue, elle aussi.

On sonne à la porte. Je vais ouvrir et je tombe nez à nez avec six cartons de pizzas.

– Papa ! Si tu savais ! Maud est revenue. Elle s'est disputée avec Juliette. Tu dois faire quelque chose ! C'est horrible ! je débite d'une traite.

Papa pose les pizzas sur la table de la cuisine et sourit.

– Calme-toi. Avec ta sœur, ce n'est jamais très grave !

– Mais je te parle de moi ! À cause d'elle, ma soirée pyjama est gâchée.

– Où est ta mère ? soupire-t-il.

– Dans la chambre de Maud, en train de la consoler.

– Eh bien, je vais mettre les pizzas au chaud. Ça peut durer longtemps…

Il s'éclipse à son tour au chevet de la grande malade, après un détour par la cuisine.

Pourtant, au bout d'un quart d'heure, tout le monde est à table, y compris ma sœur. Pour quelqu'un dont la vie est fichue, elle a plutôt bon appétit. Elle reprend trois fois de la pizza et si on ne l'arrêtait pas, elle engloutirait le bocal d'olives. Le tout sans nous adresser une seule fois la parole. À croire que nous sommes transparentes.

Mes copines ne la quittent pas des yeux. Elles détaillent son jean taille basse, ses mèches rouges, son piercing dans la narine gauche.

Papa s'est efforcé de rester discret au début du repas, mais, au dessert, c'est plus fort que lui. Il se met à poser des tas de questions.

– Et toi, Jessica, qu'est-ce que tu veux faire comme métier ?

– Euh... Gendarme dans les forces d'intervention spéciale, répond-elle d'une petite voix.

C'est drôle de l'entendre dire ça avec sa perruque et sa robe de princesse !

Mon père lance un sifflement admiratif.

– Eh bien... Vous avez beaucoup d'ambition toutes les quatre. Super policière, psychologue pour enfants (c'est le choix de Salma), journaliste (ça, c'est pour Lou), vétérinaire (ça, c'est moi), je vous félicite ! Moi, quand j'avais votre âge…

Par chance, la sonnerie du téléphone l'interrompt.

– J'y vais ! prévient ma sœur en se ruant dans le couloir.

Lucas se glisse discrètement à sa suite et revient quelques instants plus tard.

– Maud s'est enfermée dans sa chambre avec le téléphone. C'est Juliette qui appelle ! chuchote-t-il.

– Il y a de la réconciliation dans l'air, murmure maman en souriant.

Excellente nouvelle ! Pourvu que ma sœur retourne chez Juliette pour y passer la nuit et la journée de demain !

Pyjamalheur !

– Et si on se maquillait ? je propose. J'ai tout ce qu'il faut !

Pour mon anniversaire, ma tante m'a offert un coffret rempli de fards, de paillettes, de rouges à lèvres. Nous nous enfermons dans la salle de bains pour être plus tranquilles. Pas question que Lucas nous dérange !

Quand nous ressortons, une demi-heure plus tard, maman ne nous reconnaît pas.

Nous avons mis du rouge à lèvres, du rose aux joues, du bleu aux yeux, et même du vert. Ça se voit !

– Installez-vous sur le canapé, je vais vous prendre en photo ! Vous la garderez en souvenir ! Celle-ci est pour Salma ! annonce maman en s'emparant de son appareil.

– Et moi ? Je peux être sur la photo ? clame Lucas, qui a gardé son kimono de karaté.

– D'accord ! accepte Salma.

Nous nous serrons autour d'elle. Lucas prend la pose. Clic ! Aussitôt, la photo sort du boîtier dans un ronronnement. Maman souffle dessus et la pose sur un guéridon.

– Waouh ! s'exclame Jessica, impressionnée. C'est un modèle ultra-moderne d'appareil numérique ?

Ma mère éclate de rire.

– Pas du tout ! C'est un vieux polaroïd. Je l'ai depuis vingt ans au moins.

L'avantage, c'est qu'on a tout de suite la photo.

– C'est raté, on ne voit rien ! marmonne Lou.

– Attends un peu. Vous allez apparaître comme par magie, explique maman.

En effet, sur le petit carton blanc, cinq silhouettes émergent lentement et deviennent de plus en plus nettes.

– Trop top ! commente Lou.

– Préparez-vous pour la deuxième ! prévient maman.

À la quatrième photo, qui m'est destinée, papa se plante devant elle.

– Tu ne devineras jamais qui vient de m'appeler sur mon portable. Véro !

Véro est notre voisine du troisième étage, une amie de mes parents.

– Pourquoi appelle-t-elle sur ton portable ? s'étonne maman.

– La ligne de notre téléphone fixe est occupée depuis une demi-heure ! lance papa en désignant du menton la chambre de Maud. Figure-toi qu'elle rentre du cinéma et qu'elle vient de s'apercevoir qu'elle a perdu ses clés. Pas de chance, Elliot est en province jusqu'à demain.

Elliot, c'est le mari de Véro. Il est souvent en déplacement, à cause de son travail.

– Bref, elle est coincée dehors. Elle demande si on peut lui accorder l'hospitalité cette nuit. J'ai répondu oui.

– Évidemment ! approuve maman.

– On trouvera bien où caser les garçons, glisse papa d'une voix à peine audible, en fuyant mon regard.

Les garçons ? Hé ! Stop ! J'appuie sur la touche pause de mon cerveau, je rembobine la cassette de mes idées. Reprenons : Véronique est notre voisine. Flûte ! C'est aussi la mère de...

– Tu veux dire que Steven et Roméric sont avec elle et qu'ils vont dormir ici ?

– Oui, avoue papa.

– Génial ! hurle Lucas en sautant de joie sur le canapé.

Mes copines se rapprochent de moi. Lou chuchote :

– Ce sont les voisins dont tu nous as parlé tout à l'heure ? On va les voir ?

– Tu aurais pu me demander mon avis, papa ! C'est ma soirée pyjama ! Et on n'invite jamais de garçons à une soirée pyjama !

Ma voix tremble de colère.

– Il faut bien commencer un jour ! soupire mon père d'un air faussement dégagé.

Quelle désinvolture ! Les adultes se croient tout permis ! À ce moment précis, je déteste papa comme jamais, sauf peut-être le jour où il m'a privée de télé parce que j'avais découpé les rideaux neufs du salon avec mes ciseaux. Mais j'avais six ans.

– Tu ne voudrais pas qu'on les laisse dehors, ma chérie ? intervient maman en tentant de sourire.

– Mais si, bien sûr que si ! Ils n'ont qu'à aller dormir à l'hôtel !

– Je suis sûre que tes amies seront contentes de faire leur connaissance, ajoute-t-elle. N'est-ce pas les filles ?

Toutes les trois hochent la tête. Jessica m'attire par la manche.

– Moi, je trouve ça cool. Mais je préfère me changer et me démaquiller avant qu'ils arrivent.

Elle a raison. Je ne pensais plus à nos déguisements. Pas question qu'ils nous voient maquillées et costumées.

Soudain, on sonne.

– Hum ! Les voici ! déclare papa en grimaçant un sourire gêné.

J'en ai pyjamarre !

Lorsque Steven nous aperçoit, massées dans le vestibule, il écarquille les yeux et esquisse un mouvement de recul.

– Avance, chéri ! Tu bloques le passage ! ordonne sa mère en le poussant dans l'entrée.

Son grand frère Roméric, qui les dépasse de trois têtes, s'avance à son tour, l'air renfrogné. Il promène sur nous un regard ennuyé.

– Merci, je vous revaudrai ça ! ajoute Véronique en embrassant mes parents.

Elle semble enfin nous remarquer.

– Bonjour Inès ! me dit-elle en déposant une bise sur ma joue. Tu reçois des amies ?

– C'est ma soirée pyjama, je marmonne, l'air maussade.

Du bout des lèvres, je procède aux présentations.

– Formidable ! Vous avez l'air de bien vous amuser toutes les quatre, dit-elle en nous contemplant.

J'ouvre la bouche pour rétorquer qu'en effet, c'était génial… jusqu'à son arrivée. Un coup d'œil de maman me retient d'exploser.

Maud pointe le bout de son nez hors de sa chambre. Elle a changé de pantalon et elle arbore un débardeur neuf. Son espion personnel a dû la prévenir de l'arrivée imminente de visiteurs... Elle s'approche avec nonchalance et rejette ses cheveux en arrière.

– Salut !

On a l'impression qu'elle ne s'adresse qu'à une seule personne : Roméric. Comme par magie, il lui sourit, l'air soulagé. Ils se font la bise. Une, deux, trois, quatre. J'échange un clin d'œil amusé avec mes copines.

– Je suis désolée de troubler votre fête ! s'excuse Véronique. Une soirée pyjama, c'est sacré !

– Ne t'inquiète pas. Nous allons nous installer à la cuisine, propose maman.

– Comme ça, nous ne vous dérangerons pas ! lance papa.

Maud et Roméric filent au salon. J'entraîne les copines dans ma chambre.

– Mais... Qu'est-ce que vous faites là ? je bredouille, stupéfaite, au moment de refermer la porte derrière nous.

Lucas et Steven nous ont suivies. Steven secoue sa tignasse bouclée et joint les deux mains.

– Pitié, pitié ! gémit-il. Je ne veux plus entendre mon frère parler des nouveaux CD qu'il a achetés cet après-midi. J'ai déjà eu droit à ses commentaires pendant le trajet du retour.

Il agite la tête d'un air désespéré et se laisse tomber à genoux. Éclat de rire général.

– Vous avez vu quoi, au cinéma ? demande Lucas en s'installant confortablement sur mon lit.

– Le troisième épisode de *Space Saga* !

– Oh ! La chance ! soupire Jessica.

Space Saga est LE film dont tout le monde parle. La dernière partie vient juste de sortir, mais aucune d'entre nous n'a encore eu l'occasion de la voir.

– C'est bien ? questionne Lou.

Steven hoche la tête.

– Génial ! Cette fois, on découvre d'où viennent les fantômes de l'espace. Ils sont effrayants ! Ils ont deux bouches à la place des yeux, qui leur servent à attirer les vivants pour s'emparer de leur corps.

– Et ils font comment ? murmure Salma, frémissant d'horreur et de curiosité.

– Ils poussent des mugissements lugubres qui hypnotisent les gens. Ensuite, ils se faufilent dans leur corps.

Il se met à imiter les fantômes de l'espace et agite les bras pour nous attraper. Nous courons dans tous les sens, hilares, en poussant des cris perçants.

– Moi, je n'ai pas peur ! Je vais te réduire en bouillie, espèce de sale fantôme ! lance Lucas, qui se met en posture de combat.

Lou reprend ses esprits la première et questionne d'une voix essoufflée :

– Pourquoi tu ne vas pas dans notre école si tu habites l'immeuble ?

– Mes parents ont préféré m'inscrire dans une école originale. Par exemple, dans ma classe, j'apprends le chant, le théâtre, le bricolage. Et je n'ai jamais de travail à la maison. Et vous ? poursuit-il en s'adressant à mes copines. Vous êtes dans la même classe qu'Inès ?

Lou, Salma et Jessica hochent la tête dans un ensemble parfait.

– Qu'est-ce que vous faites pendant votre soirée pyjama ?

– Elles jouent à des jeux nuls et elles parlent des garçons, intervient Lucas.

– Tais-toi ! je rugis.

J'adopte un air sérieux et je reprends :

– C’est secret. Normalement, les garçons ne sont pas admis.

– Pourquoi ?

Pourquoi, pourquoi… Il a de ces questions, Steven !

– Parce que c’est comme ça, réplique Lou.

– Ce n’est pas une explication valable ! proteste Steven. D’ailleurs, ton frère Lucas est là !

– On n’a pas pu se débrouiller autrement, je rétorque. Et puis, c’est mon frère. Les soirées pyjamas ressemblent à un club secret. Il faut un mot de passe pour entrer. Et le mot de passe, c’est d’être une fille.

– Je vois ! C'est du racisme anti-garçons, ironise-t-il.

– Pas du tout ! Tu n'as rien compris, je proteste, indignée. On a juste envie d'être entre nous !

Lucas se laisse glisser de mon lit et ouvre la porte de ma chambre :

– Viens, Steven ! Laissons-les. On va jouer à la PlayStation dans le bureau de papa. C'est plus rigolo !

Steven s'empresse d'accepter.

Nous revoilà entre filles. Un silence s'installe.

– Bon, à quoi on joue maintenant ? je demande.

Lou hausse les épaules.

– Aucune idée. Il est très sympa, ton voisin Steven. C'est amusant, il fait du théâtre comme moi !

– Et il est super doué ! renchérit Jessica.

– Je me demande comment il se débrouille à la PlayStation, murmure Salma.

Steven, Steven… À quoi ça sert de refuser les garçons à une soirée pyjama si c'est pour parler d'eux sans arrêt ?

– Et si on regardait un DVD ? je propose. On mangera du pop-corn.

– D'accord !

Nous retournons au salon. Manque de chance, Roméric et Maud ont accaparé le téléviseur. Avachis dans le canapé, ils suivent une émission musicale sur une chaîne du câble en grignotant des chips. À chaque fois que Roméric exprime son opinion, ma sœur approuve, fascinée. Je me poste devant eux.

– On va passer un DVD !

Pas de réaction.

– Maud ! On a besoin de la télé ! je répète plus fort.

Ma sœur soupire, l'air excédé :

– Je ne suis pas sourde ! Deux secondes ! J'adore ce morceau !

Jessica et Lou, captivées par les danseurs qui s'agitent sur l'écran, se sont laissées tomber dans les fauteuils.

– Elle a l'air super, cette émission, murmure Jessica. Je ne la connaissais pas ! On peut regarder un peu ?

Je hausse les épaules, découragée.

– Si tu veux. Mais où est Salma ?

Lou secoue la tête.

– Aucune idée.

Je finis par la dénicher dans le bureau de papa, assise entre Lucas et Steven. Tous les trois sont absorbés par une partie de Super Rallye et ne me remarquent pas.

C'est la pire soirée de ma vie ! Je suis tellement nulle en soirée pyjama que mes copines préfèrent se coller devant la télé ou jouer à la PlayStation ! Et je ne peux même plus compter sur la chambre de Maud pour ranimer l'ambiance.

Le nez me pique, les yeux aussi. Zut ! En plus, je vais me mettre à pleurer ! Je cours m'enfermer dans la salle de bains.

Un pyjamour de sœur

– Inès ? Ouvre ! C'est moi !

Maud tambourine à la porte de la salle de bains.

– Laisse-moi entrer ! insiste-t-elle.

À contrecœur, je tire le verrou.

– Qu'est-ce qui se passe ? s'étonne-t-elle. Tu avais un air bizarre quand tu as quitté le salon. Tu pleures ?

Tiens, ma sœur fait attention à moi ? Première nouvelle ! Je croyais qu'elle n'avait d'yeux que pour Roméric. Je me sens un peu réconfortée.

– Ma soirée pyjama est archiratée, je marmonne. Aucune règle d'or n'a été respectée ! Toute la famille est là, la maison est remplie de garçons, on n'est pas en pyjama, et je ne peux même pas proposer la surprise que j'avais prévue parce que tu...

Je m'interromps juste à temps et je conclus en reniflant un grand coup :

– C'est tellement horrible que j'aurais préféré la chasse au trésor de papa ! Mes copines ne voudront plus jamais revenir, c'est sûr !

Maud hausse les épaules.

– Tu exagères ! Elles ont l'air de s'amuser ! Et puis, grâce à ces imprévus, ta soirée pyjama est super originale. Tu en connais beaucoup, toi, des filles de ton âge qui passent toute une soirée avec des garçons ?

– Non, justement. C'est pas dans les règles !

– Les règles, les règles ! Mais tu as le droit de les changer, les règles ! C'est ta soirée ! Au lieu de te lamenter, invente une nouvelle mode.

Je hausse les épaules.

– Je n'ai pas d'idées !

Maud s'assoit sur le rebord de la baignoire et me tend la boîte de mouchoirs.

– Pourquoi pas une boum ? Je m'occupe de la musique avec Roméric, si tu veux.

– Une boum ? Avec tout le monde ? je m'exclame, suffoquée.

– Bien sûr ! Ce sera le bonus de la soirée, la surprise méga géniale ! Offrir à ses copines une boum avant la soirée pyjama dans ta chambre, c'est top classe. Moi, je n'ai jamais eu cette chance, ajoute-t-elle avec une pointe de regret dans la voix.

Je la regarde, interloquée. Son idée me fait très envie. Mais pour innover, il faut du courage. Et je me sens paralysée par la timidité.

– Je ne sais pas danser !

– Quand on danse toutes les deux, tu te débrouilles très bien.

C'est la première fois que la reine du hip-hop m'adresse un tel compliment.

– Je me charge de convaincre les parents, décrète-t-elle. Pendant ce temps, débarbouille-toi. J'en ai pour cinq minutes !

Je lui saute au cou, honteuse d'avoir voulu entrer dans sa chambre en cachette. Ce soir, Maud est passée dans la catégorie « grande sœur super géniale ».

Je me dépêche d'essuyer mon maquillage qui a dégouliné. Maud revient très vite et explique, hors d'haleine :

– C'est d'accord ! Mais papa est retombé en enfance ! Il fait essayer sa chasse au trésor à maman et à Véro. Tes copines ont enlevé leurs déguisements et participent.

– Quoi ?

Je me débarrasse de ma robe de princesse et je cours les rejoindre.

Ma pyjaboum

Après vingt minutes de recherches acharnées, Salma et Steven dénichent le quatrième papier, dissimulé dans le pot d'une plante verte.

– « Vous brûlez, et pourtant il fait froid », lisent-ils en chœur.

– On brûle... Ça signifie que c'est le dernier indice, je déclare.

– Il fait froid ? Le trésor serait à la cave ? s'inquiète Lucas.

– Plutôt à la cuisine, suggère Véro, amusée.

– Dans le frigo ! hurle Jessica.

Deux minutes plus tard, sous nos applaudissements, elle brandit victorieusement un paquet de bonbons.

– C'était génial ! confie Lou. Ton père est super doué pour les chasses au trésor.

Dans le salon, les premières mesures d'une chanson retentissent. Nous nous précipitons. Maud et Roméric ont poussé les meubles aux quatre coins de la pièce. Une pile de CD trône à côté de la chaîne. Je mets mes mains en porte-voix et j'annonce :

– Et maintenant, la boum !

Des cris de joie fusent.

– Une boum ? C'est génial comme surprise ! s'exclame Lou, surexcitée.

Maud se lance dans une démonstration de hip-hop, accompagnée de Roméric. Lucas, torse nu, se trémousse en poussant des hurlements de Sioux.

– Vas-y Inès ! supplie Lou qui se contorsionne sur place. Je meurs d'envie de danser, mais toute seule je n'ose pas !

Je prends mon courage à deux mains et je m'avance au milieu du salon. L'enthousiasme est si contagieux que j'oublie mes complexes.

– Super, ta soirée pyjama ! s'égosille Steven, qui gesticule dans tous les sens.

– C'est une pyjaboum ! je rectifie en lui criant dans les oreilles.

On s'amuse comme des fous, jusqu'à ce que Lucas nous adresse de grands signes pour que nous baissions la musique.

– Oh là là ! Vous n'avez pas entendu la sonnette ? C'est monsieur Lorthios ! Il n'a pas l'air content ! Les parents sont en train de parler avec lui.

Nous passons la tête par la porte du salon pour entendre la conversation.

– Autant de bruit à cette heure, c'est inadmissible ! glapit notre voisin sur le palier. Vous devez respecter le sommeil des locataires !

– Entièrement d'accord, acquiesce mon père. À ce propos, permettez-moi de vous suggérer de parler moins fort.

– Excusez-nous ! intervient maman. Ma fille organise une soirée pyjama.

– Une soirée pyjama ? gronde le voisin, exaspéré. Une soirée de fous, oui ! Impossible de fermer l'œil !

– Je vous comprends, répond papa d'une voix suave. On entend les gens s'amuser et on n'est pas de la fête… C'est triste ! Entrez, monsieur Lorthios, dit-il en le saisissant par le bras. Vous verrez par vous-même en quoi consiste une soirée pyjama. Une coutume très importante chez les jeunes d'aujourd'hui. Une manière d'échanger des idées, de mieux se connaître...

Sans lui laisser le temps de réagir, papa a entraîné le voisin dans le vestibule.

– Mais c'est magnifique, monsieur Lorthios ! s'exclame-t-il d'une voix triomphale. Vous portez la tenue idéale ! Restez ! Vous êtes notre invité d'honneur !

Nos regards tombent sur le pyjama à rayures blanches et bleues de notre voisin. Jessica pouffe, aussitôt imitée par Salma et Steven. C'est une cascade d'éclats de rire dans l'entrée. Même Véro et maman ont du mal à garder leur sérieux.

– Je me plaindrai ! lance M. Lorthios d'une voix furieuse avant de disparaître dans la cage d'escalier.

Une fois la porte refermée, les adultes nous rejoignent dans le salon et nous expliquent qu'il est l'heure de nous coucher. Nous avons beau protester, ils se montrent inflexibles. Maman distribue les places de chacun. Véronique dans la chambre de Lucas, Lucas dans la chambre des parents, Roméric et Steven dans le salon.

– Oh non ! ronchonne Roméric. Je ne veux pas dormir dans le canapé avec Steven.

– Moi, je ne veux pas dormir avec les parents ! Je ne suis plus un bébé ! s'indigne Lucas. Je veux dormir avec Steven !

– Moi je veux juste dormir ! murmure papa, l'air épuisé.

On finit par trouver la solution : Roméric s'installera dans le bureau de papa et les deux autres garçons partageront le clic-clac. Lucas et Steven sont tellement contents qu'ils insistent pour nous aider à déplier les lits de camp.

– Bonne nuit les filles ! clament-ils en se tordant de rire. Faites de beaux rêves !

– Pourquoi ils rigolent ? demande Salma.

– Aucune idée, mais je me méfie, rétorque Jessica. Mes frères se comportent comme ça quand ils mijotent une blague. Examinez bien vos lits. On ne sait jamais.

Nous nous empressons de secouer couvertures et sacs de couchage, mais nous ne repérons rien de suspect. Je vérifie que Vanille et Chocolat sont à l'abri, enfermées dans leur cage.

– Qu'ils sont idiots, ces garçons ! Voilà pourquoi on ne les invite pas aux soirées pyjamas ! conclut Lou en se laissant tomber sur son matelas.

Pyjacasses

– Vous vous rendez compte, les filles ? lance Jessica en s'amusant à appuyer sur le chat de son pyjamiaou. On met nos pyjamas seulement maintenant ! À la fin de la soirée !

Ma chambre ressemble à un terrain de camping. Des vêtements traînent par terre au milieu des peluches et de nos affaires de toilette.

– C'est vrai ! j'approuve. On n'a rien fait comme d'habitude ! Regardez !

Je sors mon carnet secret et nous commentons une à une les règles d'or que j'avais écrites.

– Il y a tout de même quelque chose de respecté dans la règle numéro un ! déclare Salma. Nos pyjamas sont super beaux.

– La règle numéro deux a bien fonctionné, elle aussi, ajoute Lou. J'ai un peu mal au ventre...

– Par contre, s'exclame Jessica, la règle numéro trois...

Elle éclate de rire.

– Non seulement ton frère et ta sœur étaient là, mais ils ne sont pas du tout restés dans leur chambre !

– Maintenant, nous sommes tranquilles, j'interviens. Plus personne ne nous dérangera.

– C'est trop drôle ! hurle Lou. La règle d'or numéro quatre n'a pas été respectée quatre fois, car il y avait quatre garçons. En plus, ils dorment juste à côté !

– C'est trop cool, soupire Jessica en se glissant dans son duvet. J'adore quand les règles ne sont pas respectées.

Je prends un stylo et répare l'oubli :

Règle d'or numéro cinq : penser à une surprise pour le soir (les meilleures surprises sont celles qu'on n'a pas prévues).

Nous achevons nos préparatifs. Lou nous fait jurer trois fois de ne pas nous moquer d'elle avant de nous montrer l'appareil dentaire qu'elle porte la nuit.

Quant à Salma, assise en tailleur sur son lit de camp, elle compte à voix haute les coups de brosse à cheveux qu'elle se donne énergiquement. Il paraît qu'il faut aller jusqu'à cent ! C'est un secret de beauté que lui a confié sa grand-mère.

– Ça y est ? Vous êtes prêtes ? je demande enfin.

– Oui !

– Le moment le plus important de la soirée pyjama va commencer ! je déclare en éteignant la lumière.

Roulées dans nos duvets, nous chuchotons.

Premier sujet de discussion, mes parents. Classés dans la catégorie « parents sympas » (l'humour de papa à l'égard de M. Lorthios a été très apprécié).

Deuxième sujet, ma sœur (adoptée à l'unanimité).

Troisième sujet, la boum (un méga succès).

Dernier sujet (nous avons gardé le meilleur pour la fin), les garçons présents à la soirée.

– Steven est super gentil, conclut Salma après avoir raconté en détail la partie de PlayStation qu'ils ont disputée ensemble contre Lucas.

– Il est plus intéressant que les garçons de notre classe qui ne pensent qu'à faire des blagues stupides, reconnaît Lou. Mais je préfère son frère, Roméric. Il est trop mignon !

– Ma sœur aussi a l'air de le trouver intéressant ! Vous avez remarqué ? Elle ne l'a pas quitté des yeux lorsqu'il dansait. Et quand il parle, on dirait qu'elle est hypnotisée.

Nous gloussons dans l'obscurité.

– Je crois que je vais dormir, annonce Jessica en bâillant. Personne ne ronfle, j'espère ?

– Moi, si ! je rétorque en produisant un grognement de sanglier.

Aussitôt, chacune pousse un cri d'animal : chèvre, vache, coq, chien, on se croirait dans une ferme. Demain matin, il faudra que je complète ma liste.

Règle d'or numéro six : délirer entre copines !

Finalement, le silence s'installe. Je contemple les formes pelotonnées près de mon lit, qui ne bougent presque plus. Je me blottis sous la couette avec délices.

Nuit pyjamonstre

– Vous avez entendu ?

J'ouvre les yeux avec difficulté. Ma parole, je dormais déjà ! Dans la pénombre, je devine la silhouette de Jessica, assise sur son lit de camp.

– Vous avez entendu ? répète-t-elle d'une voix pressante.

– Non ! Quoi ? demande Salma, ensommeillée.

– Là ! Écoutez !

– Arrête tes blagues, Jessica ! On veut dormir, gémit Lou.
– Ce n'est pas une blague !
Nous nous concentrons, le cœur battant, pour écouter le silence. Et dans ce silence, nous finissons par distinguer des craquements, ponctués de grognements.
– Qu'est-ce que c'est ? chuchote Lou, affolée.
Aucune idée. Ce bruit ne rentre pas dans la catégorie « bruits familiers de la maison ». Je me décide à allumer ma lampe torche. La lumière projette des ombres inquiétantes sur les murs et au plafond.
– On dirait que quelqu'un marche dans le couloir, murmure Salma, inquiète.
Nous nous approchons de la porte sur la pointe des pieds. La torche tremble dans ma main. Je colle mon oreille à la paroi et je réprime un cri. C'est là, juste derrière. Je perçois une respiration effrayante, qui n'a rien d'humain.

Quand j'étais petite, j'avais souvent peur qu'un monstre m'enlève la nuit. Eh bien voilà ! Pas de chance ! Il faut que ça m'arrive pile le jour de ma soirée pyjama.

La poignée tourne. Paralysées par la peur, nous voyons la porte s'ouvrir lentement, tandis qu'une voix caverneuse mugit :

– Je suis le fantôme de l'espace ! Je dois me réincarner dans un corps de fille pour trouver la paix.

– NON !!!

Au milieu de nos hurlements terrifiés jaillissent des éclats de rire. La lumière s'allume brusquement.

– Alors les filles ? On croit encore aux fantômes ? Ouh ouh ouh ! Ce que vous êtes mignonnes en pyjama !

Steven, hilare, détale en direction du salon dont la porte claque. Je me cogne contre Lucas.

– Tu étais là toi aussi ? Tu vas nous le payer !

À ce moment, une forme blanche surgit du fond du couloir. Ouf ! C'est Véro, pas un fantôme.

– C'est quoi, ce bruit ? Qu'est-ce qui se passe ? demande-t-elle, le visage chiffonné de sommeil, les cheveux ébouriffés.

– Rien du tout ! je me hâte de répondre. Lucas a fait un cauchemar.

J'écrase la main de mon frère dans la mienne pour lui intimer l'ordre de se taire. Ma mère arrive à son tour. Je répète mon explication. Inquiète, elle tâte le front de Lucas.

– Tu as mal dans l'oreille ?

Tétanisé, il secoue la tête.

– C'était quoi, ce cauchemar ?

– Il a rêvé de fantômes ! je rétorque aussitôt. Ne t'inquiète pas, maman. Lucas va rester avec nous, le temps de se rassurer. Ensuite, il retournera se coucher.

– Vraiment ? Ça ne vous dérange pas ?

– Pas du tout, madame, intervient Salma.

– Merci beaucoup ! Bonne nuit, les filles !

Maman et Véronique disparaissent d'un pas traînant, en poussant une série de bâillements. Mon frère tente de s'éclipser, mais je l'agrippe par la veste de son pyjama.

– Reste ici ! On te garde en otage, je marmonne d'un air féroce.

Nous l'entraînons dans ma chambre et nous fermons la porte. Jessica brandit sa torche électrique et l'aveugle. Ébloui par la lumière, encerclé par quatre filles, l'espion n'en mène pas large.

– Si vous ne me laissez pas sortir, j'appelle maman, pleurniche-t-il.

– Parfait ! Dans ce cas, je lui raconterai qu'au lieu de dormir tu nous embêtes.

Il hausse les épaules, dépité.

– Nous réveiller avec une blague débile ! riposte Lou. C'est archinul ! Du garçon tout craché !

Lucas essaie de se défendre.

– C'est pas ma faute ! C'est Steven qui a eu l'idée…

– Je savais bien qu'il fallait se méfier d'eux! s'exclame Jessica. Maintenant, vous comprenez pourquoi ils nous ont souhaité bonne nuit en riant ?

– Tu vas rapporter ? s'inquiète Lucas en me dévisageant.

Après une grande inspiration, je lance :

– Non, mais à une condition…

Le visage de mon frère s'éclaire :

– Laquelle ?

J'échange un regard entendu avec les filles.

– Que tu nous aides à nous venger…

– Ah non, alors !

– Tant pis pour toi ! À mon avis, maman ne te laissera pas retourner chez ton copain Thomas pendant des mois et des mois quand elle saura tout.

– C'est du chantage !

– Parfaitement !

Lucas baisse la tête, vaincu.

– Mais qu'est-ce que vous voulez que je fasse ?

– Il n'a qu'à lâcher Vanille et Chocolat dans le lit de Steven ! suggère Lou d'une voix excitée.

– Pas question ! Je tiens à mes souris. J'ai une meilleure idée. Une idée géniale. Une idée terrifiante.

Huit yeux ronds sont braqués sur moi.
– Qu'est-ce que c'est ?
– Vous promettez de garder le secret ?
– Promis !
– Toi aussi, Lucas ?
Mon frère, dévoré par la curiosité, hoche vigoureusement la tête. La loyauté des espions laisse à désirer !
– Voilà ce qu'on va faire.

Le réveil des chipyjamas

J'ouvre les yeux. Le soleil perce à travers mes volets. Salma, roulée en boule dans son sac de couchage, me sourit.

– Tu es réveillée pour de bon ? plaisante-t-elle.

Aussitôt, les événements de la nuit dernière me reviennent en mémoire. Nous étouffons un rire. Lou et Jessica s'agitent et se réveillent à leur tour. À voix basse, nous nous racontons les péripéties de la veille.

– On s'est drôlement bien amusées ! soupire Jessica, une expression d'extase sur le visage. Quelle vengeance !

On frappe à la porte. Maman passe la tête par l'entrebâillement.

– Bonjour les filles ! Il est dix heures. Le petit déjeuner vous attend. Vous avez bien dormi ?

– Oh oui ! répondons-nous en chœur.

– Ce n'est pas comme les garçons, alors ! Impossible de les tirer du lit. En plus, ils ont bloqué la porte. On ne peut pas entrer dans le salon !

Échange de regards, sourires en coin.

– Il faut qu'on voie ça ! je m'écrie.

Nous nous précipitons dans le couloir. Véronique, déjà prête, parlemente à travers la porte du salon.

– Allez-vous ouvrir à la fin ? Ce n'est pas drôle ! Nous voulons déjeuner !

La voix de Steven nous parvient :

– Est-ce qu'Inès est réveillée ?

– Oui, pourquoi ?

– Vraiment réveillée ?
Véronique s'impatiente :
– Oui ! Elle est même à côté de moi, avec ses amies.

Nous entendons un bruit de meuble qu'on pousse. Enfin, la porte s'ouvre. Les yeux cernés, les cheveux en bataille, Steven pointe un visage inquiet. Lucas apparaît à son tour.
– Quelle idée de vous enfermer ! s'énerve Véronique.
– On était bien obligés ! riposte Steven, furieux. Tu aurais pu nous prévenir qu'Inès était somnambule et qu'elle pouvait être dangereuse.

Lou étouffe un gloussement tandis que Véronique m'enveloppe d'un regard ahuri.

– Toi ? Somnambule ? Mais je l'ignorais !

Je hausse les épaules.

– Les parents n'aiment pas en parler. S'il te plaît, ne leur dis pas que tu es au courant, ça les gênerait beaucoup.

– Parfois, Inès se lève la nuit et marche dans l'appartement en parlant, renchérit Lucas. On croit qu'elle est réveillée, mais pas du tout ! Elle dort. Si on la réveille, elle peut faire n'importe quoi !

Sacré petit frère ! Quel bon comédien !

– Cette nuit, gémit Steven, Inès est venue deux fois dans le salon. La première fois, elle a ouvert les rideaux et elle a allumé la télé. J'ai voulu la mettre dehors, mais Lucas m'en a empêché.

– Il ne fallait surtout pas la réveiller, explique Lucas.

– On a attendu qu'elle parte d'elle-même, poursuit Steven. Mais elle est revenue ! Elle s'est mise à tourner plusieurs fois autour de notre lit avant de nous toucher les cheveux. C'était... horrible.

Roméric, qui vient de nous rejoindre, s'étire et murmure, un sourire goguenard aux lèvres :

– Mon pauvre vieux !

– Elle répétait qu'elle devait tuer les fantômes pour que les humains retrouvent leur liberté, enchaîne Lucas en hochant la tête.

– Alors, quand elle est sortie du salon en marmonnant qu'elle avait besoin d'un couteau, reprend Steven, on s'est dépêchés de pousser le canapé devant la porte. On avait trop la trouille qu'elle revienne.

– Ça oui ! renchérit Lucas, dont les yeux pétillent de joie.

Je joue l'innocente.

– Je suis désolée ! Le pire, c'est que je ne me souviens de rien !

– Moi, si ! rétorque Steven en me lançant un regard noir.

Roméric se tourne vers mes copines, narquois.

– Et vous, bien sûr, vous n'avez rien remarqué ?

– La nuit, je dors comme une marmotte, déclare Jessica. Rien ne peut me réveiller.

– J'ai bien vu Inès quitter la chambre, mais j'ai cru qu'elle allait aux toilettes ! renchérit Salma.

Maman arrive, un plateau chargé de bols dans les mains.

– Enfin debout, les garçons ! Vous avez des têtes de somnambules !

Déjeuner pyjamarrant

Nous aidons maman à mettre la table. La montagne de croissants et de pains au chocolat que papa est allé acheter déclenche des cris de joie. Steven se déride.

La reine Maud fait enfin son apparition, vêtue d'un survêtement blanc à la dernière mode, les cheveux décoiffés avec art. Elle a dû passer une demi-heure devant la glace pour obtenir ce résultat.

– Bonjour !

Elle s'approche de Roméric. Nous retenons notre souffle, décidées à ne pas perdre une miette de la cérémonie des bises. Une, deux, trois, quatre. Puis elle s'assoit près de lui.

– Vous n'avez pas entendu un chat miauler cette nuit ? demande-t-elle en tartinant son croissant de confiture de fraises.

– Tu es sûre que ce n'était pas plutôt des poules qui gloussaient ? rétorque Roméric en me fixant droit dans les yeux.

Sa mère lui jette un regard surpris.

– Ce devait être des fantômes de l'espace, je réponds.

– Ou des somnambules ! contre-attaque Steven. Aïe !

Il se penche pour masser sa cheville. Je suis sûre que sa mère lui a décoché un coup de pied sous la table.

– Des somnambules ? objecte papa. Il n'y en a pas dans la famille. Et dans la tienne, Véro ?

Véronique repose lentement son bol, me regarde, regarde Steven. Un grand sourire apparaît sur son visage.

– Non, je ne crois pas, répond-elle enfin. Mais chez toi, il y a d'excellents comédiens.

Steven me contemple, une expression de stupéfaction sur le visage.

– Tu veux dire que c'était une blague ? Mais alors, tu étais dans la combine ? ajoute-t-il en se tournant vers Lucas.

Un énorme fou rire nous secoue. Pendant cinq minutes, nous sommes incapables de prononcer une seule parole. Mes parents se dévisagent, perplexes.

– Mais qu'est-ce qui leur arrive ?

Maud tapote son front avec son index en haussant les épaules :

– C'est l'âge bête !

– On peut dire que tu as choisi le bon pyjama, Inès ! s'écrie Lou. « Je ne dors que d'un œil ». Pas mal, pour une fausse somnambule !

Salma, pliée en deux, s'essuie les yeux avec sa serviette. Dès que l'une d'entre nous croise le regard d'une autre, nous nous étranglons de plus belle. Roméric tape dans le dos de son frère.

– Tu t'es fait avoir en beauté, mon vieux!

– C'est sa faute! je rétorque. On était mortes de peur quand il est entré dans la chambre en imitant les fantômes de l'espace.

– Tu les fais drôlement bien! approuve Lou.

– Tu peux recommencer? supplie Salma.

Steven, beau joueur, se rengorge et nous offre une nouvelle démonstration, vite interrompue par la sonnette.

– Flûte! Monsieur Lorthios vient encore se plaindre du bruit, s'inquiète maman.

Mais non! Fausse alerte! C'est Elliot, le mari de Véronique, qui arrive de l'aéroport. On se pousse pour lui faire une place. Le petit déjeuner s'achève dans la bonne humeur.

Au moment de partir, Véro s'excuse encore d'avoir dérangé ma soirée pyjama.

Je l'assure que je ne lui en veux pas du tout. Plantées sur le seuil, nous la regardons s'engouffrer dans l'ascenseur avec Steven et Roméric. La porte se referme.

– Voilà ! Ils sont partis ! soupire Lou avec tristesse.

– Les filles, vous devriez vous préparer, conseille maman. Il est presque onze heures et demie. Vos parents vont bientôt arriver.

Nous retournons dans ma chambre et nous commençons à ranger nos affaires.

– Tu étais géniale en somnambule, Inès ! s'exclame Jessica en pliant son sac de couchage. J'avais tellement de mal à me retenir de rire que j'ai cru que Steven nous repérerait à la porte du salon.

– En attendant, Maud a entendu ton pyjamiaou, rétorque Lou.

– Pauvre Steven ! Il était mort de peur ! je renchéris. Lucas l'a très bien mis en condition !

– Vous croyez qu'il nous en veut ? s'inquiète Salma.
– Mais non ! répond Lou. Il nous a fait la bise en partant.
– J'aimerais trop le revoir, dit Salma. C'est dommage qu'il ne soit pas dans notre école !
Nous achevons à peine nos préparatifs qu'on sonne à la porte.
– Oh non ! Pas déjà ! se lamente Jessica. On n'a même pas eu le temps de jouer avec Vanille et Chocolat !

Nous tentons de gagner quelques minutes, en vain. La mère de Lou, qui raccompagne également Jessica, est garée en double file et ne peut pas attendre.

Quant à Salma, elle doit se rendre avec Nawel chez ses grands-parents pour le déjeuner. On est donc obligées de se séparer.

Tout le monde se dit au revoir sur le pas de la porte. Lucas semble très fier d'être embrassé par trois filles de mon âge !

– Ta soirée pyjama était super géniale ! confie Lou.

Je regagne ma chambre. Les peluches sont entassées par terre, les déguisements traînent sur les chaises, les papiers de bonbons recouvrent mon bureau. J'ai du mal à croire que tout a commencé ici, hier après-midi ! Le temps a passé trop vite !

Maintenant, sans mes copines, je me sens vide. J'aurais dû les inviter pour tout le week-end, on aurait eu plus de temps pour jouer. Tout le week-end… Ça, c'est une idée.

Mon moral remonte en flèche. Où sont les parents ? Je dois leur parler sans perdre une seconde.

Et pyjaprès ?

Papa et maman sont affalés dans le canapé du salon, l'air épuisé. Les meubles ont retrouvé leur place, la table du petit déjeuner a été débarrassée, l'aspirateur attend d'être rangé. Qui pourrait supposer qu'une méga pyjaboum a eu lieu dans cette pièce hier soir ?

– Alors, tu t'es bien amusée, ma chérie ? demande maman.

– Oui ! C'était super !

– Tant mieux ! souffle-t-elle en renversant la tête en arrière.

J'enchaîne aussitôt :

– Est-ce que mes copines pourront revenir bientôt ? Cette fois, elles resteraient jusqu'au dimanche soir. Et on inviterait Steven à jouer un moment avec nous.

Une petite voix derrière nous attire notre attention.

– Moi aussi, je veux inviter Steven. Et Thomas. J'ai décidé de faire une soirée pyjama entre garçons, déclare Lucas qui écoutait, caché derrière la porte.

Papa et maman se regardent, tous les deux catastrophés.

– Pas le week-end prochain mais l'autre, je poursuis, ce serait parfait pour mes copines.

– Dans deux semaines ? s'écrie maman.

– Ben oui ! Après, ce sont les vacances de Pâques, tout le monde part.

– Et moi ? Je vais attendre jusqu'à quand ? clame Lucas. C'est chacun son tour ! En plus, à cause de mon otite, je n'ai pas pu aller chez Thomas. J'ai droit à une récompense.

Maud risque une tête par la porte.

– Papa, maman, Juliette vient de téléphoner. Elle demande si elle peut dormir le week-end prochain à la maison. Ses parents doivent s'absenter. Comme ça, on discutera de la boum et elle m'aidera à préparer la liste des invités.

– Quelle boum ? demande papa, affolé.

– Eh bien, ma boum, réplique Maud avec un grand sourire. Inès en a fait une hier et je vous rappelle qu'elle n'a que dix ans. C'est la moindre des choses que j'en organise une, moi aussi. Roméric a proposé d'apporter son matériel et on s'occupera de la musique à tour de rôle. On a pensé que vous pourriez aller dormir chez Véronique et Elliot, pour ne pas être dérangés par le bruit. D'ailleurs, vous serez mieux entre adultes. Roméric va en parler à sa mère aujourd'hui.

– C'est tout ? Pas d'autre demande ? lance papa. Personne n'a envie de passer un week-end à la campagne avec tous les amis qu'il connaît ? Thomas, Jessica, Salma, Lou, Roméric, Steven, Juliette, leurs parents, les amies de maman, mes copains du club théâtre... Sans oublier monsieur Lorthios bien sûr!

– Ce serait génial! exulte Lucas. Mais pour monsieur Lorthios, tu crois vraiment que...

– Idiot! réplique Maud. Tu ne vois pas que papa plaisante?

Les parents échangent un long regard et se lèvent. Ils décrochent leurs blousons suspendus dans l'entrée.

– Papa? Maman? Où vous allez?

Pas de réponse. Maud, Lucas et moi échangeons un regard stupéfait. Incroyable! On dirait qu'ils ne nous entendent pas!

– Papa? Maman? Revenez! Il faut qu'on discute sérieusement!

Papa ouvre la porte d'entrée :

– Plus tard... Nous allons nous promener une petite heure.

– Soyez sages! ajoute maman en nous adressant un signe affectueux de la main.

Le battant se referme derrière eux.
– Ils ont l'air bizarre, marmonne Maud, dépitée. Je n'aime pas ça. Je suis certaine qu'ils vont dire non à ma boum !
– Et non à ma soirée pyjama de garçons, ajoute Lucas.
– Et non à mon week-end entre copines, je conclus. À moins que…
La blague de papa me donne une idée.
– Une boum et une soirée pyjama, ça va très bien ensemble. Si on regroupait nos trois fêtes le même week-end, peut-être qu'ils accepteraient ?
– Surtout si on propose à papa d'organiser une super grande chasse au trésor ! s'exclame Lucas, les yeux brillants.
Maud me lance un regard perplexe.
– Peut-être… Mais il faudra être très convaincants !
Je jette un coup d'œil à la pendule.
– Au travail ! On a une heure pour préparer nos arguments !

TABLE DES MATIÈRES

Le grand pyjamatin 9
Pyjamode d'emploi 17
Pyjamalchances 25
Youpijama ! 35
Le pyjamouchard 45
Pyjamajestés 55
Pyjeuxma 63
Pizzama surprise 69
Pyjamalheur ! 79

J'en ai pyjamarre ! 87
Un pyjamour de sœur 99
Ma pyjaboum 105
Pyjacasses 113
Nuit pyjamonstre 119
Le réveil des chipyjamas 127
Déjeuner pyjamarrant 133
Et pyjaprès ? 143

L'AUTEUR

Née en 1964, **Nathalie Charles** passe sa jeunesse dans un petit village près de Nevers. Ses deux passions d'enfant unique sont l'école et la lecture.
À dix-sept ans, bac en poche, elle s'installe à Paris, où elle se partage entre études et musique.
Elle devient professeur de lettres… et chanteuse du groupe les Loulou Melrose.
La naissance de ses filles sonne le début d'une nouvelle voie : celle d'auteur pour la jeunesse.
Elle adore enseigner dans son lycée du Val-d'Oise, écrire dans sa cuisine parisienne et chanter… où ça lui chante !

L'ILLUSTRATRICE

Nadine van der Straeten dessine depuis vingt ans. Si son cœur balance entre l'illustration et la bande dessinée, elle aime avant tout raconter des histoires du bout de son crayon.
Depuis ses études à Strasbourg sous la houlette de Claude Lapointe, elle collabore étroitement avec de nombreux magazines et éditeurs pour la jeunesse. Elle réalise également des pochettes de disques et ne déteste pas écrire quelques chansons.
Nadine van der Straeten vit actuellement en région parisienne.

DANS LA MÊME COLLECTION

à partir de huit ans

L'amour c'est tout bête, G. Fresse.
Une certaine Clara Parker, S. Valente.
La chambre des chats, M. Freeman.
Chien riche, chien pauvre, K. Cave.
Le club des animaux, M. Cantin.
Comment devenir parfait en trois jours, S. Manes.
Comment je suis devenue grande, B. Hammer.
Confidences entre filles, F. Hinckel.
Les disparus de Fort Boyard, A. Surget.
L'été des jambes cassées, C. Le Floch.
Expert en excuses, K. Tayleur.
Expert en mensonges, K. Tayleur.
Le fils des loups, A. Surget.
Fils de sorcières, P. Bottero.
La grande évasion des cochons, L. Moller.
Le jour où j'ai raté le bus, J.-L. Luciani.
La lettre mystérieuse, L. Major.
La maison à cinq étages, G. McCaughrean.
La petite fille qui vivait dans une grotte, A. Eaton.
Ma première soirée pyjama, N. Charles.

Princesse en danger, P. Bottero.
Au royaume des dinosaures, R. Judenne.
Une sorcière à la maison, V. Petit.
Un vampire à l'école, Y.-M. Clément.
Le vrai prince Thibault, É. Brisou-Pellen.
La vraie princesse Aurore, É. Brisou-Pellen.

Achevé d'imprimer en France en août 2007
sur les presses de l'imprimerie Hérissey
Dépôt légal : août 2007
N° d'édition : 4584
N° d'impression : 105766